editorial**Sol90**

CUENTOS INFANTILES

© 2006 Editorial Sol 90, S.L. Barcelona

© De esta edición 2006, Diario El País, S.L. Miguel Yuste, 40, 28037 Madrid

Todos los derechos reservados

ISBN: 84-9820-297-3

Depósito legal: M-11889-2006

Idea y concepción de la obra: **Editorial Sol 90, S.L.**

Coordinación editorial: **Emilio López**

Adaptación literaria: **Alberto Szpunberg**

Ilustraciones: **Sergio Kern**

Diseño: **Jennifer Waddell**

Diagramación: **María Nolis**

Revisión y corrección: **Carlos García**

Producción editorial: **Rosa Bayés, Montse Martínez, Xavier Dalfó**

Impreso y encuadernado en UE.

Cuentos Infantiles
EL PAIS

La princesa y el guisante

Basado en el cuento de
Hans Christian Andersen

Ilustrado por Sergio Kern

Había una vez un Príncipe que quería casarse con una Princesa.

–¿Dónde puedo encontrarla? –se preguntaba, y no terminaba de encontrar ninguna.

Su padre, el Rey, le aconsejó:

–Hijo, es muy fácil: los cuentos están llenos de princesas...

Es así como el Príncipe se zambulló en esos relatos que, todas las noches, desde hace muchísimo tiempo, los padres les cuentan a sus hijos para que se duerman y sueñen con princesas.

En efecto, todas las noches, el Príncipe se dormía y soñaba con princesas de distinto porte y diferentes encantos.

Unas eran rubias y otras, morenas. A veces, las princesas rubias eran altas y, otras, pequeñas; pero, también a menudo, las princesas morenas eran altas y, otras veces, pequeñas.

Las princesas solían ser todas de una gran belleza, pero cada una era diferente a la otra, por lo cual la elección no era fácil: la belleza era de formas tan distintas como princesas había en los cuentos.

Para colmo, encantadas por el maleficio de una bruja muy gruñona y mala, las princesas eran a menudo horriblemente feas.

El Príncipe hasta encontró una convertida en rana y otra transformada en piedra y una tercera, en árbol, y así hasta el infinito.

Para descubrirlas, era necesario encontrar un talismán o una fórmula mágica para deshacer el maleficio, pero ¿quién podía lanzarse a esos arriesgados laberintos de los cuentos donde se ocultan los talismanes y las fórmulas mágicas?

¿Cómo saber, finalmente, tras correr tantos riesgos, que la rana no seguiría siendo rana y la piedra, piedra, y el árbol, árbol, en vez de una princesa?

La cuestión es que el Príncipe, tras recorrer todos los cuentos habidos y por haber, no terminaba de encontrar a su Princesa.

–Lo peor –le dijo a su padre– es que, cuando creo que ya estoy a punto de encontrarla, me quedo dormido…

–Hijo –le contestó el Rey–, siempre es bueno conciliar el sueño…

–Sí –protestó el Príncipe–, pero aún así, en pleno sueño, en el preciso instante en que creo reconocer a mi Princesa, me despierto…

El Rey le dijo que quien busca a su princesa lo primero que debe hacer es no desanimarse.

–Como sobreviene el sueño en medio de un cuento –añadió el Rey–, las princesas aparecen solas, como por encanto, sin buscarlas…

Sin embargo, el Príncipe no podía dejar de hacerlo, tan grande era su deseo de encontrar una Princesa.

–Pero una Princesa en serio –decía–, y no como las de los cuentos…

El Rey, que hacía muchos años ya había encontrado a su Princesa, sonrió.

–Nuestro hijo –le dijo a la Reina, mientras salían a dar un paseo a caballo– ya es un muchacho que sabe lo que quiere…

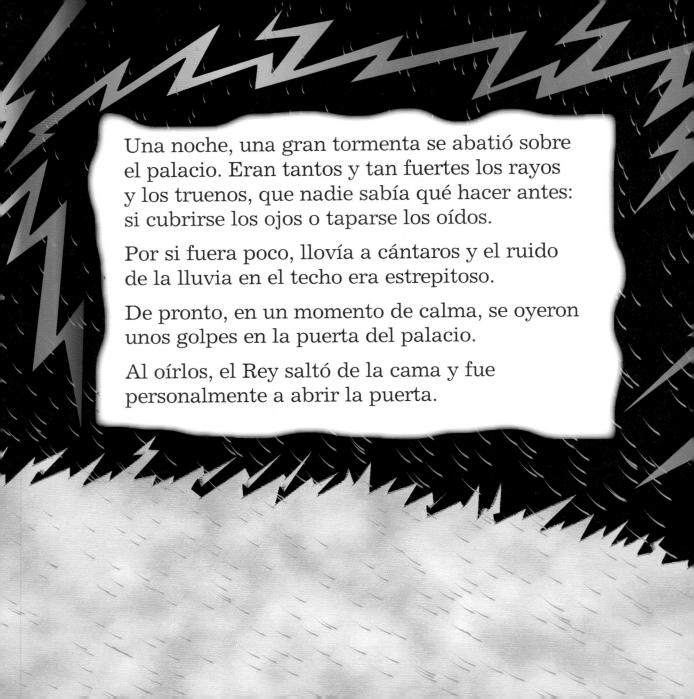

Una noche, una gran tormenta se abatió sobre el palacio. Eran tantos y tan fuertes los rayos y los truenos, que nadie sabía qué hacer antes: si cubrirse los ojos o taparse los oídos.

Por si fuera poco, llovía a cántaros y el ruido de la lluvia en el techo era estrepitoso.

De pronto, en un momento de calma, se oyeron unos golpes en la puerta del palacio.

Al oírlos, el Rey saltó de la cama y fue personalmente a abrir la puerta.

En el umbral del palacio, empapada de la cabeza a los pies y aterida de frío, había una muchacha. A la intemperie y en una noche como ésa, apenas se divisaba si vestía atuendos elegantes o si estaba cubierta por ropas y harapos muy pobres.

–Adelante –le dijo el Rey–, estás en tu casa.

El Príncipe, que también había saltado de la cama y corrido hasta la entrada, sintió algo especial al contemplarla.

–¡Es hermosa como una Princesa! –exclamó.

–Princesa o no –afirmó su padre–, lo primero es que se seque y entre en calor...

La muchacha se sentó junto al fuego y, poco a poco, recuperó sus fuerzas y, lo más importante, se adormeció con una sonrisa.

El Príncipe, como encandilado, parpadeaba sin poder dejar de mirarla.

Según el vaivén de las llamas –ya sabemos que la luz del fuego es caprichosa–, la muchacha era rubia y morena, de cabellos largos y cortos, de alta estatura pero, a la vez, pequeña, y sus ojos, azules o grises o verdes o negros, tenían un brillo muy especial.

–¡Es ella –volvió a exclamar el Príncipe–, es mi Princesa!

–No te apresures, hijo –sonrió su padre–. Como ocurre con los cuentos, hay que dejar que el sueño nos invada lentamente, sin darnos cuenta…

Al día siguiente, cuando la tormenta ya había pasado, lo primero que hizo el Príncipe fue ir a ver a su padre.

–No pude dormir en toda la noche –le contó muy alegre–, mi corazón latía muy fuerte...

–Es el mejor de los augurios... –dijo el Rey.

–¡Esa muchacha es mi Princesa! –le interrumpió el Príncipe–. ¡No lo dudo!

El Rey, que no en vano desde hace años compartía el gobierno con una Reina, metió su mano en uno de los bolsillos, encontró a tientas el guisante que siempre llevaba consigo y pensó: "Si es así, esta noche lo sabremos...".

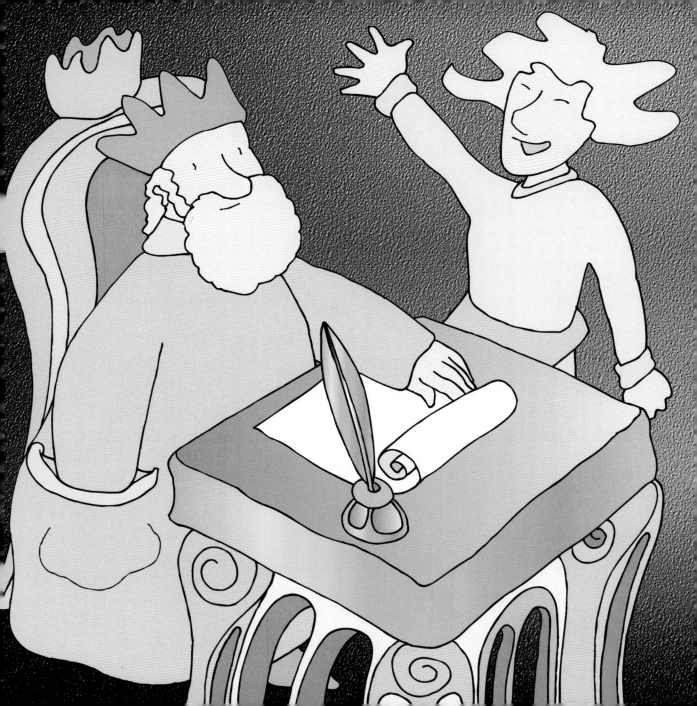

Al atardecer, el Rey se reunió con la Reina,
le contó lo que ocurría con su hijo y le mostró
el guisante.

–¿Te acuerdas?

La Reina, pese a los años transcurridos, no dejó
de emocionarse.

–Por supuesto... –sonrió.

La Reina se dirigió a preparar la cama de la
muchacha. Quitó las mantas y las sábanas y,
sobre el somier, depositó el guisante. Luego, lo
cubrió con muchos colchones y, encima de ellos,
puso numerosos almohadones de plumas muy
ligeras y extendió las sábanas y las mantas más
suaves que uno pueda
imaginarse.

Esa noche, el Rey, la Reina, el Príncipe y la muchacha se reunieron alrededor de la mesa.

El Príncipe tenía más ojos para la muchacha que apetito para comer y la muchacha se sonrojaba por cualquier cosa.

–¿Te apetece más sal? –le preguntaba la Reina, y ella sentía que sus mejillas ardían.

–¿Te apetecen los dulces? –le ofrecía el Rey, y ella tartamudeaba al contestar.

Cuando llegó la hora de irse a dormir, el Rey y la Reina se miraron con complicidad.

Tampoco esa noche el Príncipe pudo cerrar los ojos. Sólo cuando pensaba en la muchacha creía estar en medio de un sueño; pero, como todos sabemos, soñar no es lo mismo que dormir.

Algo parecido le pasaba a la muchacha. Pero, a sus desvelos por el Príncipe, se añadió otro motivo, tan extraño como concreto: cuando más se dejaba hundir entre los ligeros almohadones y los mullidos colchones y las suaves sábanas y mantas, algo le molestaba y le impedía cerrar los ojos.

Esa noche, por lo visto, sólo el Rey y la Reina durmieron plácidamente.

Al día siguiente, los primeros en encontrarse en la sala fueron el Príncipe y la muchacha.

–¡Hola! –se saludaron–. ¡Buenos días!

¿Dónde estaban las palabras que, durante la noche, habían pensado que se dirían al día siguiente?

El Rey y la Reina llegaron a tiempo, cuando el Príncipe y la muchacha ya no sabían cómo hablarse ni tampoco cómo seguir en silencio.

–¿Cómo has dormido? –le preguntó el Rey al Príncipe.

–He soñado toda la noche… –le contestó éste, sin mentir, pero tampoco sin decirle toda la verdad.

–Y tú, ¿cómo has dormido? –le preguntó la Reina a la muchacha.

–Bien… –tartamudeó la joven.

Tampoco ella se atrevió a contarle a la Reina todos los sentimientos que le habían impedido dormir, pero optó por decirle una parte de la verdad:

–La cama era muy confortable, Majestad, pero algo muy pequeño y muy duro se me clavaba en el cuerpo…

La Reina la abrazó con ternura.

Tras cuchichear entre ellos, los reyes salieron
al jardín, donde el Príncipe y la muchacha
ya paseaban del brazo.

El Príncipe corrió a su encuentro, esta vez con
total convicción:

–Os la presento... ¡Ella es mi Princesa!

–No lo dudo –dijo el Rey.

–¿Y tú cómo lo sabes? –le preguntó, sorprendido,
el Príncipe.

Muerto de risa, el Rey sacó de su bolsillo la prueba
irrefutable:

–Sólo es Princesa quien, aun en la más cómoda
de las circunstancias, es sensible a cualquier
presencia... ¡Incluso la de un humilde guisante!

Al poco tiempo, como acostumbra a pasar en los cuentos, el Príncipe y la Princesa se casaron.

En la boda el regalo más celebrado por los novios fue un guisante.

–¿Algo tan pequeñito e insignificante? –preguntó uno de los invitados sorprendido.

Sí, un guisante. Porque, aunque cueste creerlo, las grandes historias de amor empiezan siempre por algo muy pequeñito e insignificante.

fin

Actividades

Palabras cruzadas

Escribe en las casillas correspondientes los nombres de los siguientes dibujos que aparecen en *La princesa y el guisante*.

Buscando su sombra

Busca la sombra de estas princesas y escribe el número correcto en el círculo en blanco.

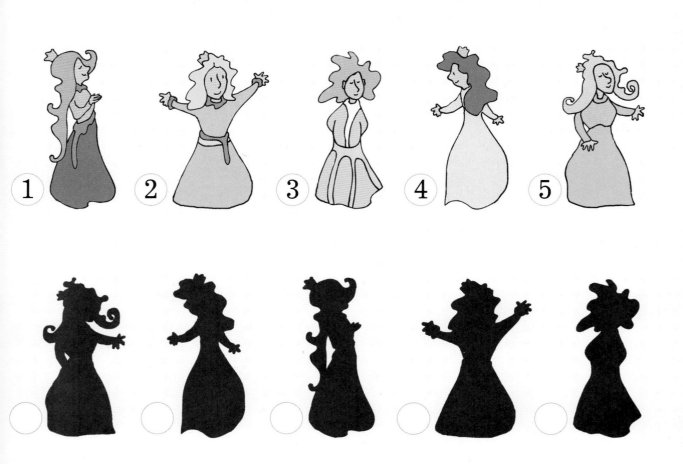

¿Recuerdas?

Lee atentamente estas preguntas relacionadas con el cuento y marca con una cruz la respuesta correcta.

(1) ¿Dónde buscaba el Príncipe a las princesas?

En los jardines de su castillo.

En las ciudades de su reino.

En los cuentos.

(2) ¿Qué pone la Reina en la cama de la Princesa?

Un garbanzo.

Un guisante.

Una lenteja.

(3) ¿Cuándo llega la Princesa al palacio del Rey?

En una noche de tormenta.

En una noche de luna llena.

En una noche sin luna.

¡Vaya desorden!

| n | a | p | i | c | r | e | s | = | ~~RTR~~ PRIN CSA |

| u | t | o | c | n | e | s | = | _____ |

| o | r | t | m | n | e | t | a | TORMeNA |

| u | n | g | e | t | i | s | a | GUISANTE |

¿Sabías que...?

Los guisantes, a pesar de ser tan chiquitines, son muy nutritivos. Son ricos en vitaminas B1, A y C, y tienen mucha fibra, hierro y potasio, además de sales minerales.

¿Quién lo ha dicho?

Relaciona el personaje con la frase que ha pronunciado. Para ello, escribe en el círculo en blanco el número que corresponda.

1. ¿Dónde puedo encontrarla?

2. Algo pequeño y muy duro se me clavaba en el cuerpo.

3. Y tú, ¿cómo has dormido?

4. Hijo, siempre es bueno conciliar el sueño.

Busca y encontrarás

¡Seguro que puedes contestar a estas preguntas! Fíjate bien en el dibujo, no te equivoques al contar y escribe el número donde corresponda.

(1) ¿Cuántas flores hay?

(2) ¿Cuántos botones ves?

(3) ¿Cuántos libros hay?

(4) ¿Y varitas mágicas?

(1) _____

(2) _____

(3) _____

(4) _____

Completa

Al copiar este fragmento de la página 10 han volado algunas palabras rebeldes. ¿Puedes volver a colocarlas en su sitio?

El _____ le dijo que quien busca a su _____ lo primero que debe hacer es no _____ .

–Como sobreviene el_____ en medio de un cuento –añadió el Rey, las princesas aparecen solas, como por _____ , sin buscarlas.

encanto

princesa

Rey

desanimarse

sueño

Soluciones

Página 34

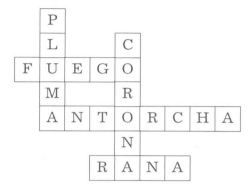

Página 35

Página 36

(1) En los cuentos. **(2)** Un guisante.
(3) En una noche de tormenta.

Página 37

princesa, cuentos, tormenta, guisante

Página 38

Página 39

(1) 9 flores. **(2)** 4 botones.
(3) 6 libros. **(4)** 1 varita mágica.